100
infos à connaître

L'ESPACE

100
infos à connaître
L'ESPACE

Texte original de Sue Becklake

Consultant : Peter Bond

Piccolia

© 2006 **Éditions Piccolia**
5, rue d'Alembert
91240 Saint-Michel-sur-Orge – France
Dépôt légal : 3ᵉᵐᵉ trimestre 2006
Loi n°49-956 du 16 juillet 1949
sur les publications destinées à la jeunesse.
Imprimé en Chine

Remerciements :
aux artistes qui ont contribués
à l'élaboration de ce titre

Mark Davis
Kuo Kang Chen
Alan Hancocks
Janos Marffy
Martin Sanders
Mike Saunders
Rudi Vizi

Sommaire

Au cœur de l'espace

1 Nous vivons au cœur de l'espace.

La Terre est entourée par une couche d'air, l'atmosphère. Lorsque l'on s'élève, sur une montagne ou en avion, l'air se raréfie et finit par disparaître. Nous entrons alors dans l'espace. L'espace paraît bien vide mais on y trouve des choses passionnantes comme les planètes, les étoiles et les galaxies. Les personnes qui voyagent dans l'espace sont des astronautes.

▶ Dans l'espace, les astronautes portent des combinaisons pour sortir de la navette qui tourne autour de la terre.

Le Soleil, notre étoile

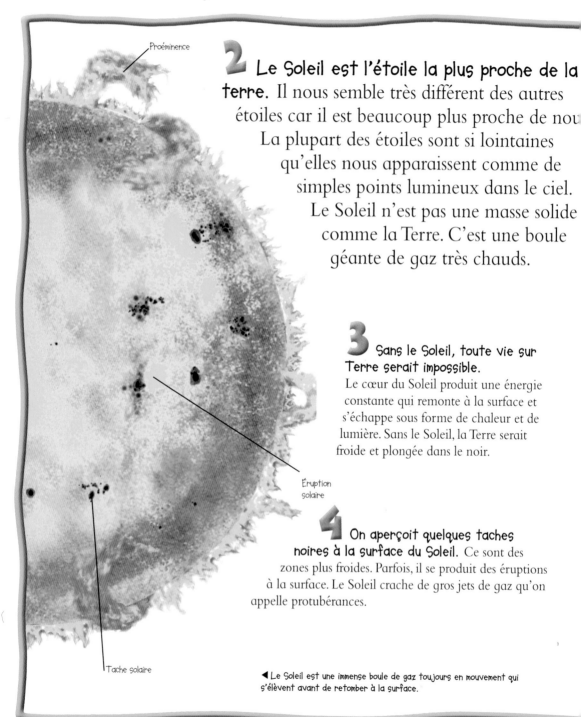

Proéminence

2 Le Soleil est l'étoile la plus proche de la terre. Il nous semble très différent des autres étoiles car il est beaucoup plus proche de nou. La plupart des étoiles sont si lointaines qu'elles nous apparaissent comme de simples points lumineux dans le ciel. Le Soleil n'est pas une masse solide comme la Terre. C'est une boule géante de gaz très chauds.

3 Sans le Soleil, toute vie sur Terre serait impossible. Le cœur du Soleil produit une énergie constante qui remonte à la surface et s'échappe sous forme de chaleur et de lumière. Sans le Soleil, la Terre serait froide et plongée dans le noir.

Éruption solaire

4 On aperçoit quelques taches noires à la surface du Soleil. Ce sont des zones plus froides. Parfois, il se produit des éruptions à la surface. Le Soleil crache de gros jets de gaz qu'on appelle protubérances.

Tache solaire

◄ Le Soleil est une immense boule de gaz toujours en mouvement qui s'élèvent avant de retomber à la surface.

5 Lorsque la Lune cache le Soleil, il se produit une éclipse.

De temps en temps, la Lune se trouve entre le Soleil et la Terre, sur une même ligne. Les rayons du Soleil ne peuvent plus passer et, soudain, il fait noir comme en pleine nuit : c'est une éclipse.

▼ Lorsque le Soleil projette l'ombre de la Lune sur la Terre, il se produit une éclipse de Soleil.

▶ Lorsqu'il y a une éclipse, on voit la couronne solaire (des gaz en fusion) qui entoure le Soleil.

Soleil

INCROYABLE !

La surface du Soleil est 60 fois plus chaude que l'eau bouillante. Il est si brûlant qu'il ferait fondre les vaisseaux spatiaux qui s'en approcheraient.

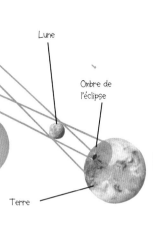

Lune

Ombre de l'éclipse

Terre

Une famille de planètes

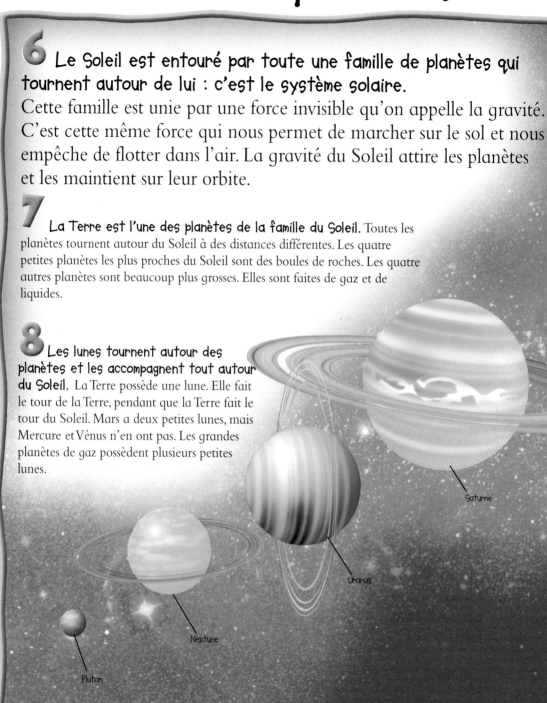

6 Le Soleil est entouré par toute une famille de planètes qui tournent autour de lui : c'est le système solaire.

Cette famille est unie par une force invisible qu'on appelle la gravité. C'est cette même force qui nous permet de marcher sur le sol et nous empêche de flotter dans l'air. La gravité du Soleil attire les planètes et les maintient sur leur orbite.

7 La Terre est l'une des planètes de la famille du Soleil. Toutes les planètes tournent autour du Soleil à des distances différentes. Les quatre petites planètes les plus proches du Soleil sont des boules de roches. Les quatre autres planètes sont beaucoup plus grosses. Elles sont faites de gaz et de liquides.

8 Les lunes tournent autour des planètes et les accompagnent tout autour du Soleil. La Terre possède une lune. Elle fait le tour de la Terre, pendant que la Terre fait le tour du Soleil. Mars a deux petites lunes, mais Mercure et Vénus n'en ont pas. Les grandes planètes de gaz possèdent plusieurs petites lunes.

Saturne

Uranus

Neptune

Pluton

Mercure

La Lune

Jupiter

Vénus

La Terre

Le Soleil

Mars

▲ Les huit planètes sont très différentes les unes des autres. Mercure, la plus proche du Soleil, est petite et très chaude. Ensuite viennent Vénus, la Terre et Mars qui sont des planètes rocheuses plus froides. Plus loin, Jupiter, Saturne, Uranus et Neptune sont de grosses planètes froides.

9 La famille du Soleil comprend des millions de petits cousins.

Parfois, ce ne sont que des petites particules de poussière qui voyagent entre les planètes. Les morceaux de pierre, parfois gros comme des montagnes, s'appellent des astéroïdes. De temps en temps, une comète s'approche du système solaire mais elle s'éloigne bien vite.

INCROYABLE !

Si le Soleil avait la taille d'un ballon, la Terre serait à peine plus grosse qu'un petit pois et la Lune ressemblerait à une tête d'épingle.

Une planète vivante

10 Nous vivons sur la planète Terre. C'est une grosse boule de roche. À l'extérieur, la roche est solide ; mais à l'intérieur, très profond sous nos pieds, la roche est si chaude qu'elle est fondue. C'est cette roche brûlante qui sort parfois par la bouche d'un volcan en éruption.

Noyau externe

Noyau interne

11 La Terre est la seule planète qui abrite des créatures vivantes. De l'espace, on voit une planète bleue avec d'immenses océans recouverts de gros nuages. Les hommes, les animaux et les plantes peuvent vivre sur Terre parce qu'il y a beaucoup d'eau.

12 Quand le Soleil brille chez nous, il fait nuit de l'autre côté de la planète. Lorsqu'il fait jour, notre partie de la Terre est face au Soleil et profite de sa lumière. La nuit, notre partie de la Terre lui tourne le dos et il fait noir. Les jours et les nuits se suivent parce que la Terre tourne sur elle-même.

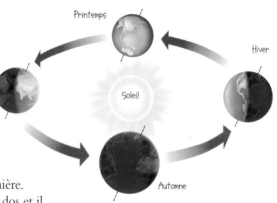

Printemps

Hiver

Été

Soleil

Automne

▲ Comme la Terre est penchée sur son axe, le temps change selon les saisons.

◀ Le cœur intérieur de la Terre est en fer. Il est si chaud qu'il fait fondre le cœur extérieur. Le manteau est constitué de roches épaisses. Nous vivons sur la mince couche appelée croûte.

 Croûte

Manteau

INCROYABLE !

Sur la Lune, il n'y a ni eau ni air. Lorsqu'ils sont allés sur la Lune, les astronautes ont dû emporter de l'air dans leur vaisseau spatial et dans leur combinaison.

Nouvelle lune

Premier croissant

Premier quartier

Lune gibbeuse

Pleine lune

13 La Lune semble changer de forme.
En un mois, elle passe d'un mince croissant à un disque plein. La Lune brille parce qu'elle réfléchit la lumière du Soleil. Lorsqu'elle est pleine, la Lune nous montre la totalité de sa face éclairée.

14 Les cratères ont été creusés par des roches qui se sont écrasées à la surface.
Lorsqu'un rocher tombe sur la Lune, il s'enfonce dans le sol, creuse un gros cratère et pousse les roches qui forment des petites montagnes.

Nos proches voisines

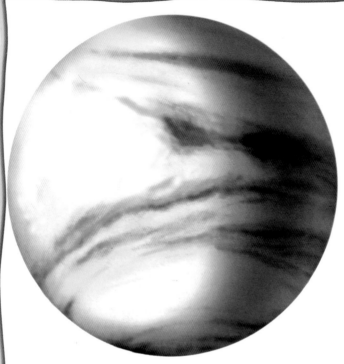

15 Vénus et Mars sont les planètes les plus proches de la Terre. Vénus est plus proche du Soleil que la Terre, Mars est plus éloignée. Elles ne mettent pas le même temps ce que nous appelons année, pour faire le tour du Soleil. Une année dure 225 jours sur Vénus, 365 sur la Terre et 687 sur Mars.

▲ De l'espace, la seule chose qu'on voit de Vénus, c'est le sommet des nuages. Ils mettent quatre jours pour faire le tour de la planète.

16 Vénus est la planète la plus chaude. Elle est plus chaude que Mercure qui est pourtant encore plus près du Soleil. La chaleur s'accumule sur Vénus car elle est retenue par la couverture de nuages qui recouvre la planète. C'est ce qu'on appelle l'effet de serre.

17 Les nuages de Vénus sont acides et toxiques. Ils n'ont rien à voir avec les nuages terrestres constitués de minuscules particules d'eau. Ils laissent à peine filtrer les rayons du Soleil.

▼ Vénus est couverte de centaines de volcans de toutes tailles. Nous ne savons pas s'ils sont encore en activité.

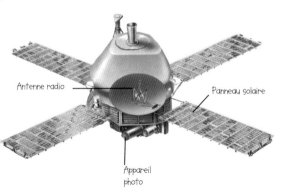

Antenne radio

Panneau solaire

Appareil
photo

19 Sur Mars, des orages de poussière balaient toute la planète. Mars est très sèche, comme un désert. Le sol est couvert d'une poussière rouge. Lors de son atterrissage, en 1971, la sonde Mariner 9 a soulevé un nuage de poussière qui a recouvert toute la planète.

◄ Mariner 9 est la première sonde spatiale à avoir accompli le tour d'une autre planète. Elle a pris plus de 7 000 photos montrant de gigantesques volcans, des vallées et des lits de rivières asséchés.

18 Mars possède le plus gros volcan de tout le système solaire, le mont Olympe. Il est trois fois plus haut que l'Everest, la plus haute montagne de la Terre. Il n'a pas connu d'éruption depuis des millions d'années.

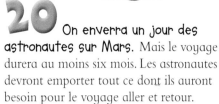

CHASSE AUX PLANÈTES
Essaie de trouver Vénus dans le ciel. C'est la première étoile très brillante qu'on voit le soir, juste au-dessus de l'endroit où le Soleil vient de se coucher. On l'appelle parfois l'étoile du Berger.

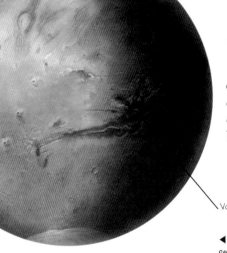

20 On enverra un jour des astronautes sur Mars. Mais le voyage durera au moins six mois. Les astronautes devront emporter tout ce dont ils auront besoin pour le voyage aller et retour.

Vallée Marineris

Mont Olympe

◄ La vallée Marineris semble couper Mars en deux. À gauche, se trouve une rangée d'immenses volcans. Plus loin, on voit le plus grand de tous, le mont Olympe.

Pluton et Mercure

21 Depuis 2006, Pluton n'est plus considérée comme une planète mais comme une planète naine. Elle est deux fois plus petite que Mercure. Elle est même plus petite que notre Lune. Elle est si petite et si lointaine qu'il a fallu attendre 1930 pour la découvrir.

▲ Pluton est trop éloignée pour que l'on distingue des détails à la surface mais elle doit ressembler un peu à ceci.

22 Pluton est éloignée du Soleil. Sur Pluton, le Soleil n'est pas beaucoup plus brillant que les autres étoiles. Elle ne reçoit pas beaucoup de chaleur du Soleil et sa surface est entièrement couverte de glace.

24 Avant 1978, personne ne savait que Pluton avait une lune. Un astronome a remarqué un jour, une petite bosse sur la planète. C'était une petite lune qu'on a baptisé Charon. Charon est deux fois plus petite que Pluton.

23 Les sondes spatiales n'ont pas encore exploré Pluton. Les astronomes devront encore attendre avant d'obtenir des informations précises sur cette planète naine. Pour aller sur Pluton, le voyage durera au moins huit ans.

▼ Sur Pluton, Charon paraîtrait beaucoup plus grosse que notre Lune, car elle est beaucoup plus proche.

25
Mercure ressemble à notre Lune. C'est une boule rocheuse couverte de cratères. Elle est plus grande que la Lune mais il n'y a pas d'air non plus.

FAIS UN CRATÈRE
Tu auras besoin de :
Farine, un plat à gâteau, un petit caillou. Étale deux centimètres de farine au fond du plat à gâteau et lisse la surface. Jette le caillou dans la farine et observe le cratère qui s'est formé.

◄ Les nombreux cratères à la surface de Mercure montrent que la planète a souvent été heurtée par des rochers.

▼ Sur Mercure, le Soleil paraît énorme. Les astronautes éventuels devraient se protéger de sa chaleur.

26
La face ensoleillée est brûlante mais la face noire est glaciale. Comme la planète est très proche du Soleil, il y fait deux fois plus chaud que dans un four ! Mercure tourne très lentement sur elle-même si bien que la planète a le temps de refroidir la nuit. Et comme il n'y a pas d'atmosphère pour retenir la chaleur il y fait deux fois plus froid, la nuit, qu'en Antarctique, l'endroit le plus froid de la Terre.

La plus grande planète

27 Jupiter est plus grosse que toutes les planètes du système solaire mises ensemble. Elle est 11 fois plus grosse que la Terre mais elle reste plus petite que le Soleil. Saturne est 9 fois plus grosse que la Terre.

28 Jupiter et Saturne sont des planètes géantes gazeuses. Elles n'ont pas de surface solide sur laquelle pourrait atterrir un vaisseau spatial. On ne voit que le dessus de leurs nuages. Ces planètes sont constituées de gaz (comme de l'air) et de véritables liquides (comme l'eau).

29 La grosse tache rouge de Jupiter est un orage vieux de 300 ans. On l'a repéré pour la première fois il y a 300 ans, elle est aussi grosse que la Terre. Elle s'élève au-dessus de la couche nuageuse et tourbillonne comme une tornade.

▼ Sur Jupiter, les vents rapides font tourner les nuages qui ressemblent à des cercles de couleur.

▼ Il y a de nombreux orages sur Jupiter mais aucun n'est aussi puissant et aussi durable que la grande tache rouge.

▼ Io, l'une des lunes de Jupiter, change constamment car de nombreux volcans projettent de nouveaux matériaux sur sa surface.

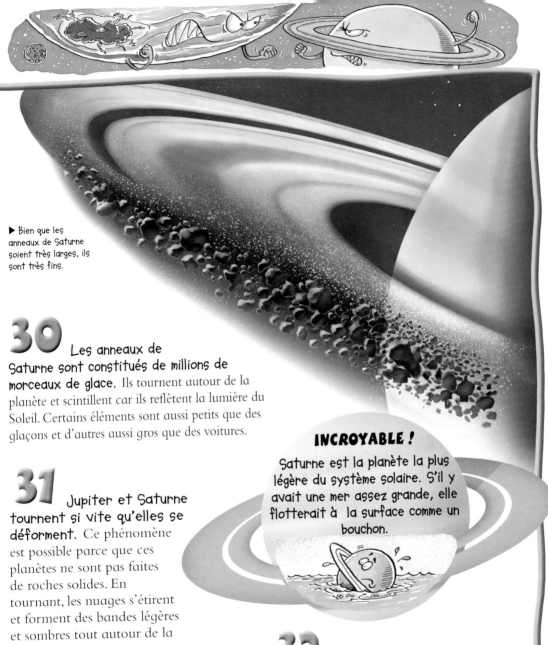

▶ Bien que les anneaux de Saturne soient très larges, ils sont très fins.

30 Les anneaux de Saturne sont constitués de millions de morceaux de glace. Ils tournent autour de la planète et scintillent car ils reflètent la lumière du Soleil. Certains éléments sont aussi petits que des glaçons et d'autres aussi gros que des voitures.

31 Jupiter et Saturne tournent si vite qu'elles se déforment. Ce phénomène est possible parce que ces planètes ne sont pas faites de roches solides. En tournant, les nuages s'étirent et forment des bandes légères et sombres tout autour de la planète.

INCROYABLE !

Saturne est la planète la plus légère du système solaire. S'il y avait une mer assez grande, elle flotterait à la surface comme un bouchon.

32 La lune de Jupiter ressemble un peu à une pizza. Elle possède de nombreux volcans en activité qui projettent d'immenses panaches de matière et forment des taches sombres sur sa surface orangée.

Si loin de nous

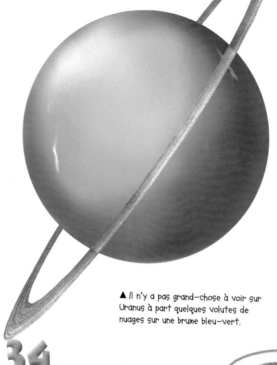

33 Uranus et Neptune sont des géantes gazeuses comme Jupiter et Saturne. Elles sont situées derrière Saturne mais elles sont deux fois plus petites. Elles n'ont pas de surface solide non plus. Leurs nuages leur donne une couleur bleutée. Comme elles sont loin du Soleil, il y fait très froid.

▲ Il n'y a pas grand-chose à voir sur Uranus à part quelques volutes de nuages sur une brume bleu-vert.

34 Uranus semble « rouler » autour du Soleil. Contrairement aux autres planètes, qui semblent tourner droites, comme des toupies, Uranus semble penchée sur le côté, comme si quelque chose l'avait renversée, il y a des millions d'années.

35 Uranus a plus de lunes que toutes les autres planètes. Pour l'instant, nous en comptons 21. Nous venons juste de découvrir la dernière qui n'a pas encore de nom. La plupart sont minuscules mais il y en a 5 plus grosses.

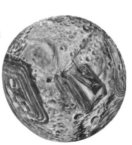

◄ Miranda est l'une des lunes d'Uranus. On croirait presque qu'on l'a cassée en plusieurs morceaux avant de la réparer.

36 **La tempête de Neptune s'est calmée.** Lorsque la sonde Voyager 2 est passée près de Neptune, en 1989, elle a signalé la présence d'un énorme orage qui formait une tache sombre, un peu comme la tache rouge de Jupiter. Mais lorsque le télescope Hubble a observé la planète, en 1994, l'orage avait disparu.

37 **Neptune est couverte de nuages bleus, ce qui explique la couleur de cette planète.** Au-dessus des nuages, on remarque des traînées blanches. Ce sont des nuages de glace qui tournent autour de la planète. L'un de ces nuages, repéré par Voyager 2, a été surnommé « Scooter », tellement il tourne vite !

38 **Neptune est parfois plus éloignée du Soleil que Pluton.** Toutes les planètes voyagent autour du Soleil sur une orbite qui ressemble à un cercle allongé. Mais l'orbite de Pluton est plus ronde, de sorte que, parfois, elle est plus proche du Soleil que Neptune.

▼ Autrefois, les astronomes croyaient qu'il existait une autre planète, une planète X, plus éloignée encore que Neptune et Pluton.

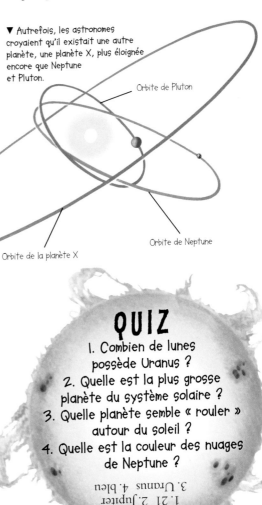

Orbite de Pluton

Orbite de Neptune

Orbite de la planète X

◄ Comme toutes les géantes gazeuses, Neptune possède des anneaux qui sont plus sombres et plus fins que ceux de Saturne.

QUIZ

1. Combien de lunes possède Uranus ?
2. Quelle est la plus grosse planète du système solaire ?
3. Quelle planète semble « rouler » autour du soleil ?
4. Quelle est la couleur des nuages de Neptune ?

Réponses :
1. 21 2. Jupiter
3. Uranus 4. bleu

Comètes, astéroïdes et météorites

39 Il y a sans doute des milliards de petites comètes à la limite du système solaire. Elles tournent autour du Soleil. Parfois, l'une d'elles s'approche du Soleil et le contourne avant de repartir d'où elle vient. Certaines comètes passent régulièrement près du Soleil, comme la comète de Halley qui revient tous les 76 ans.

▲ La partie solide de la comète est cachée dans un immense nuage étincelant qui forme une longue queue.

40 On dit parfois que les comètes sont des boules de glace sale car elles sont composées de poussière et de glace. La chaleur du Soleil fait fondre un peu de leur glace. La poussière et le gaz qui s'échappent ainsi forment une immense queue qui étincelle à la lumière.

41 La queue des comètes est toujours dirigée en sens opposé au Soleil. Bien qu'elle soit très brillante, la queue d'une comète est très mince ; c'est pourquoi elle s'échappe de l'autre côté du Soleil. Lorsque la comète s'éloigne du Soleil, sa queue voyage devant elle.

42 Les astéroïdes sont des morceaux de roche qui n'ont pas réussi à s'amalgamer pour former une planète. La plupart d'entre eux tournent autour du Soleil, entre Mars et Jupiter, là où il y aurait assez de place pour une autre planète. Il existe des millions d'astéroïdes qui peuvent aller de la taille d'une voiture ou énormes comme une montagne.

▶ Les astéroïdes forment une ceinture qui tourne autour du Soleil entre Mars et Jupiter.

43 Les météorites sont aussi appelées étoiles filantes. Ce ne sont pas de véritables étoiles mais seulement des traits de lumière qui traversent le ciel nocturne. Ce sont, en fait, des petits cailloux qui s'enflamment en entrant dans l'atmosphère terrestre. Ils brûlent pendant quelques secondes.

QUIZ

1. Dans quelle direction pointe la queue d'une comète ?
2. Quel est l'autre nom d'une météorite ?
3. Où se trouve la ceinture d'astéroïdes ?

▼ À certaines époques de l'année, on peut voir des pluies de météorites.

Réponses :
1. en direction opposé au Soleil
2. étoile filante
3. entre Mars et Jupiter

23

Une étoile est née

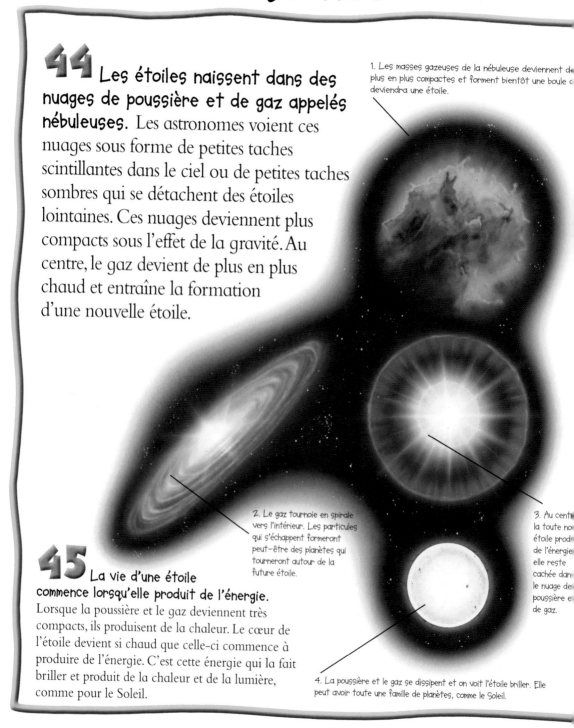

44 **Les étoiles naissent dans des nuages de poussière et de gaz appelés nébuleuses.** Les astronomes voient ces nuages sous forme de petites taches scintillantes dans le ciel ou de petites taches sombres qui se détachent des étoiles lointaines. Ces nuages deviennent plus compacts sous l'effet de la gravité. Au centre, le gaz devient de plus en plus chaud et entraîne la formation d'une nouvelle étoile.

1. Les masses gazeuses de la nébuleuse deviennent de plus en plus compactes et forment bientôt une boule q deviendra une étoile.

2. Le gaz tournoie en spirale vers l'intérieur. Les particules qui s'échappent formeront peut-être des planètes qui tourneront autour de la future étoile.

3. Au centr la toute no étoile prod de l'énergie elle reste cachée dan le nuage de poussière e de gaz.

45 **La vie d'une étoile commence lorsqu'elle produit de l'énergie.** Lorsque la poussière et le gaz deviennent très compacts, ils produisent de la chaleur. Le cœur de l'étoile devient si chaud que celle-ci commence à produire de l'énergie. C'est cette énergie qui la fait briller et produit de la chaleur et de la lumière, comme pour le Soleil.

4. La poussière et le gaz se dissipent et on voit l'étoile briller. Elle peut avoir toute une famille de planètes, comme le Soleil.

46 **Les jeunes étoiles restent souvent groupées.** Lorsqu'elles commencent à briller, les jeunes étoiles font étinceler la nébuleuse de couleurs vives. Puis, la lumière dissipe les derniers vestiges de nuages et on aperçoit un groupe de nouvelles étoiles qu'on appelle amas stellaire.

▲ Dans cet amas, ces jeunes étoiles de toutes les couleurs vont peu à peu dériver et s'éloigner les unes des autres.

QUIZ

1. Qu'est-ce qu'une nébuleuse ?
2. Depuis combien de temps le soleil brille-t-il ?
3. De quelle couleur sont les grandes étoiles très chaudes ?
4. Comment appelle-t-on un groupe de jeunes étoiles ?

Réponses : 1. un nuage de poussière et de gaz 2. environ 5 milliards d'années 3. blanc bleuté 4. un amas stellaire

48 **Les petites étoiles vivent plus longtemps que les grosses.** Les étoiles consomment leur gaz pour produire de l'énergie ; les grosses étoiles sont plus dépensières que les petites. Aujourd'hui, le Soleil en est à la moitié de sa vie. Il brille depuis 5 milliards d'années et continuera à briller pendant encore ce même temps.

47 **Les grosses étoiles sont blanches et très chaudes, les plus petites sont moins chaudes et orangées.** Une grosse étoile produit de l'énergie très rapidement et devient vite plus chaude qu'une petite étoile. Elle devient alors d'un bleuté étincelant. Les plus petites étoiles, moins chaudes, sont plus rouges et moins brillantes. Les étoiles ordinaires entre les deux, comme notre Soleil, sont des étoiles jaunes.

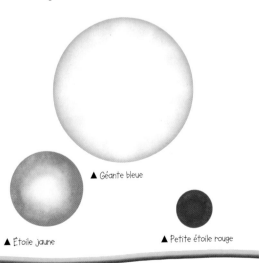

▲ Géante bleue

▲ Étoile jaune

▲ Petite étoile rouge

La mort d'une étoile

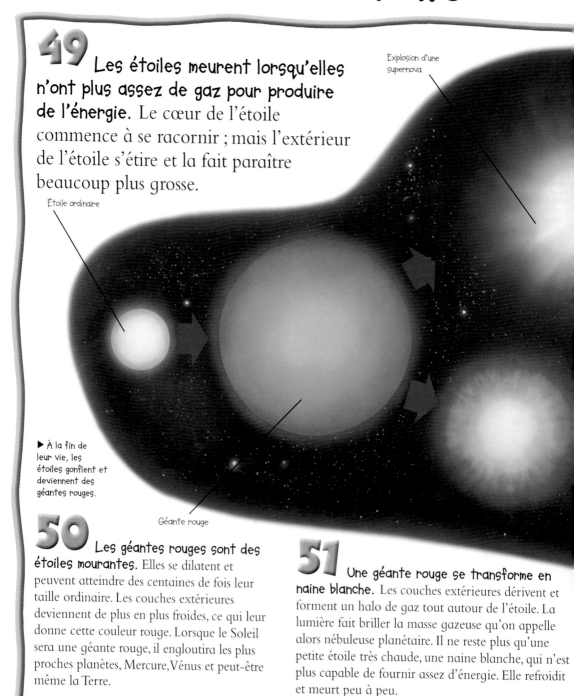

49 **Les étoiles meurent lorsqu'elles n'ont plus assez de gaz pour produire de l'énergie.** Le cœur de l'étoile commence à se racornir ; mais l'extérieur de l'étoile s'étire et la fait paraître beaucoup plus grosse.

Étoile ordinaire

Explosion d'une supernova

▶ À la fin de leur vie, les étoiles gonflent et deviennent des géantes rouges.

Géante rouge

50 **Les géantes rouges sont des étoiles mourantes.** Elles se dilatent et peuvent atteindre des centaines de fois leur taille ordinaire. Les couches extérieures deviennent de plus en plus froides, ce qui leur donne cette couleur rouge. Lorsque le Soleil sera une géante rouge, il engloutira les plus proches planètes, Mercure, Vénus et peut-être même la Terre.

51 **Une géante rouge se transforme en naine blanche.** Les couches extérieures dérivent et forment un halo de gaz tout autour de l'étoile. La lumière fait briller la masse gazeuse qu'on appelle alors nébuleuse planétaire. Il ne reste plus qu'une petite étoile très chaude, une naine blanche, qui n'est plus capable de fournir assez d'énergie. Elle refroidit et meurt peu à peu.

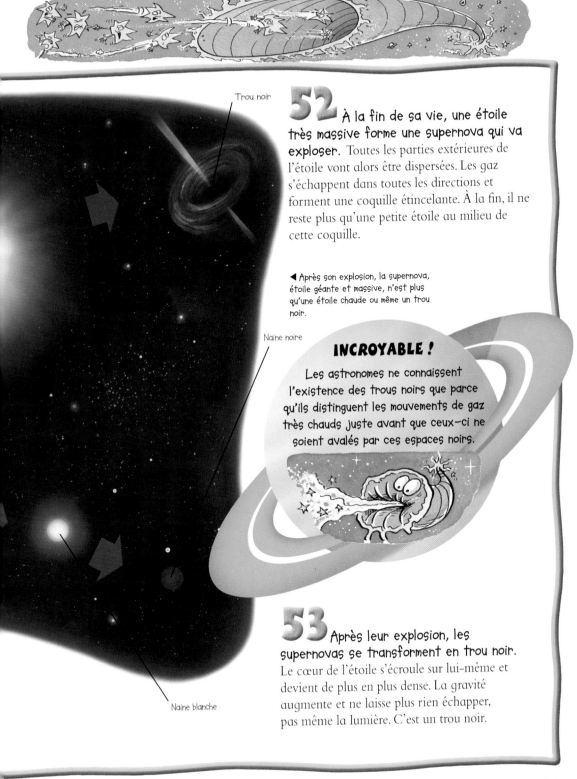

Trou noir

52 À la fin de sa vie, une étoile très massive forme une supernova qui va exploser. Toutes les parties extérieures de l'étoile vont alors être dispersées. Les gaz s'échappent dans toutes les directions et forment une coquille étincelante. À la fin, il ne reste plus qu'une petite étoile au milieu de cette coquille.

◀ Après son explosion, la supernova, étoile géante et massive, n'est plus qu'une étoile chaude ou même un trou noir.

Naine noire

INCROYABLE !

Les astronomes ne connaissent l'existence des trous noirs que parce qu'ils distinguent les mouvements de gaz très chauds juste avant que ceux-ci ne soient avalés par ces espaces noirs.

53 Après leur explosion, les supernovas se transforment en trou noir. Le cœur de l'étoile s'écroule sur lui-même et devient de plus en plus dense. La gravité augmente et ne laisse plus rien échapper, pas même la lumière. C'est un trou noir.

Naine blanche

Des galaxies par millions

54 **Le Soleil fait partie d'une grande famille d'étoiles, la Voie lactée.** Il y a des millions d'autres étoiles dans notre galaxie, autant que de grains de sable sur la plage. On l'appelle la Voie lactée car elle ressemble à une bande de lumière blanche dans le ciel, comme si on avait renversé du lait.

▶ Vue de l'extérieur, notre galaxie ressemblerait à cette image. Le Soleil se trouve à l'extrémité sur l'un des bras de la spirale.

55 **Des bras enroulés donnent une forme en spirale à certaines galaxies.** Les bras de la Voie lactée sont constitués d'étoiles brillantes et de nuages de gaz qui s'enroulent en forme de spirale. Les galaxies dites elliptiques ont une forme ovale, comme un ballon de rugby. D'autres n'ont pas de forme particulière.

INCROYABLE !

Si tu dessinais la Voie lactée sur ces deux pages, le Soleil serait si petit qu'il serait invisible.

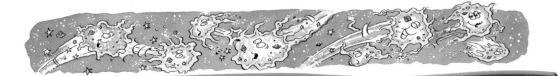

56 **Il existe des millions de galaxies en dehors de la Voie lactée.** Certaines sont plus grandes que notre galaxie, d'autres plus petites, mais toutes possèdent plus d'étoiles qu'il est possible d'en compter. Les galaxies ont tendance à former des groupes qu'on appelle amas.

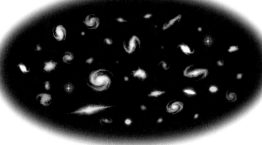

▲ Un amas de galaxies présente de nombreux types de galaxies différentes, avec de grandes galaxies elliptiques, des galaxies spirales et de nombreuses petites galaxies irrégulières.

57 **Lorsque deux galaxies se rencontrent, il n'y a aucun choc.** Une galaxie, c'est avant tout de l'espace vide entre les étoiles. Lorsque deux galaxies se rapprochent l'une de l'autre, elles peuvent se déformer mutuellement. Parfois, on dirait qu'elles ont une longue queue qui se propage dans l'espace. Elles peuvent aussi former un anneau d'étoiles étincelantes.

▶ Ces deux galaxies sont si proches que chacune tire une longue queue d'étoiles de l'autre.

▼ De gauche à droite : galaxie spirale, irrégulière, elliptique et en spirale barrée.

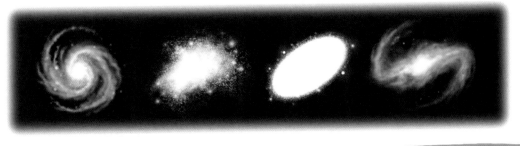

Qu'est-ce que l'Univers ?

58 L'Univers, c'est le nom que nous donnons à tout ce qui nous entoure. Tout ce qui se trouve sur Terre, du moindre grain de sable aux plus hautes montagnes, absolument tout, y compris les hommes. L'Univers, c'est également tout ce qui se trouve dans l'espace, les milliards d'étoiles et de galaxies.

59 L'Univers a commencé par une gigantesque explosion appelée big bang. Les astronomes estiment qu'il remonte à environ 15 milliards d'années. Toute la matière, qui ne formait qu'un seul corps, s'est dispersée en tout sens. Avec le temps, l'Univers a continué son expansion pour devenir ce que nous connaissons aujourd'hui. L'Univers contient beaucoup de vide.

▼ 2. Tandis que la matière se dispersait, les étoiles et les galaxies ont commencé à se former.

▼ 1. Autrefois, tout ce qui composait l'Univers ne formait qu'un seul corps. Personne ne sait pourquoi l'univers il a commencé son expansion par un **big bang**.

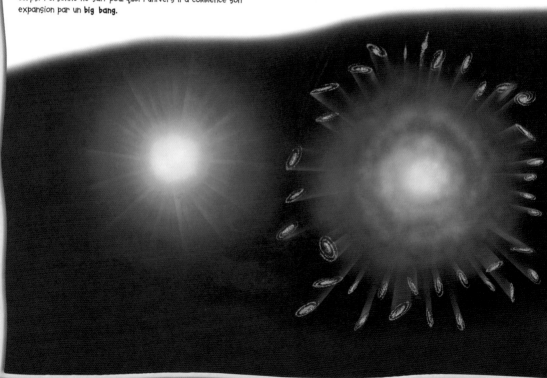

60
Les galaxies s'éloignent les unes des autres. Lorsque les astronomes observent les galaxies lointaines, ils s'aperçoivent qu'elles s'éloignent toujours de la nôtre. Plus les galaxies sont lointaines, plus elles s'éloignent rapidement. On dit que l'Univers est en expansion.

61
Nous ne savons pas ce que deviendra l'Univers dans des milliards d'années. Il poursuivra peut-être son expansion. Si cela se produit, les vieilles étoiles mourront peu à peu et aucune autre ne viendra les remplacer. L'Univers deviendra noir et froid.

▼ 3. Aujourd'hui, il existe des galaxies de tailles et de formes différentes qui s'éloignent les unes des autres. Un jour, elles commenceront peut-être à se rapprocher.

62
L'Univers finira peut-être dans un Big Crunch. Cela signifie qu'un jour, toutes les galaxies se rapprocheront les unes des autres. Finalement, elles se rassembleront dans un **Big Crunch**, l'exact opposé du **big bang**.

UN UNIVERS MINIATURE
Tu auras besoin de :
un ballon

Gonfle un ballon à moitié. Ferme l'extrémité avec les doigts pour empêcher l'air de s'échapper. Avec un feutre, dessine des points sur le ballon. Gonfle encore un peu le ballon. Regarde comme les points s'écartent les uns des autres : C'est ainsi que les galaxies s'éloignent avec l'expansion de l'Univers.

▼ 4. L'Univers pourrait finir comme il a commencé : en une unique masse de matière.

Observer le ciel

63 **Les hommes ont cru reconnaître des personnages ou des animaux dans la disposition des étoiles.** Ce sont ces formes qu'on appelle constellations. Il y a des siècles, les astronomes leur ont donné des noms pour mieux s'y retrouver.

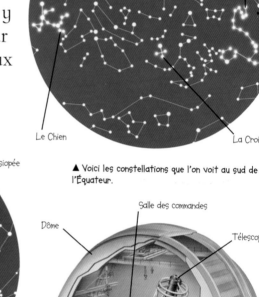

Scorpion

Le Chien

La Croix du Sud

▲ Voici les constellations que l'on voit au sud de l'Équateur.

Cyrius

Cassiopée

Grande Ourse

▲ Au nord de l'Équateur, on ne voit pas les mêmes étoiles qu'au sud.

64 **Grâce à leurs immenses télescopes, les astronomes voient beaucoup plus d'étoiles qu'à l'œil nu.** Les télescopes font paraître les étoiles plus grosses et plus proches. Ils permettent également de distinguer des nuages de gaz et de lointaines galaxies.

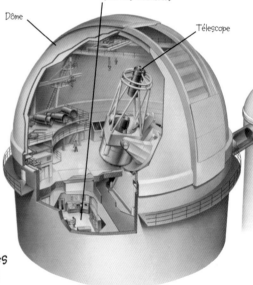

Salle des commandes

Dôme

Télescope

▲ Un énorme dôme protège ce télescope. Le toit s'ouvre pour qu'il puisse pointer vers les étoiles. Tout comme le dôme, le télescope pivote afin de balayer toutes les parties du ciel.

65

Les télescopes spatiaux permettent de découvrir d'autres corps célestes. Sur Terre, les nuages dissimulent souvent les étoiles et l'atmosphère est toujours en mouvement, ce qui brouille la vue des télescopes. Dans l'espace, le télescope peut avoir une vision plus claire. Le télescope Hubble, qui se trouve en orbite depuis plus de 10 ans nous envoie des images magnifiques.

▲ Le télescope spatial Hubble est capable de prendre des photographies beaucoup plus détaillées que tous les autres télescopes.

66

Les astronomes écoutent également les signaux radio en provenance de l'espace. Ils utilisent des radiotélescopes qui ressemblent à d'immenses paraboles, comme celles qu'on installe pour capter la télévision. Ces télescopes reproduisent des images grâce aux ondes radio qu'ils reçoivent de l'espace. Les images ne ressemblent pas toujours à celles que donnent les télescopes habituels mais on peut y découvrir des choses extraordinaires comme, par exemple, des jets de gaz émis par des trous noirs.

OBSERVER LA LUNE

Tu auras besoin de :

une paire de jumelles

Par une nuit claire, observe la Lune grâce à tes jumelles. Tu distingueras les formes arrondies des cratères. Les jumelles sont en fait deux petits télescopes, un pour chaque œil. Elles te permettront de distinguer plus de détails.

▼ Les radiotélescopes sont souvent constitués de rangées de paraboles, orientables, qui collectent les signaux venant de l'espace. Ensemble, elles agissent comme une immense parabole. Les paraboles sont orientables en toutes directions.

Trois, deux, un... zéro !

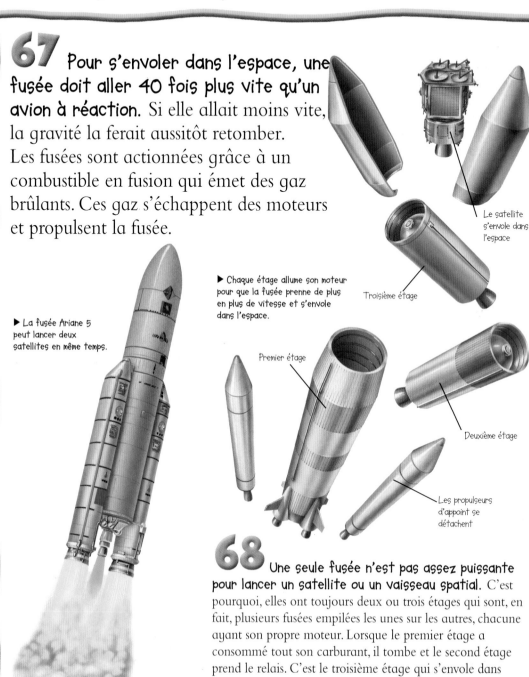

67 Pour s'envoler dans l'espace, une fusée doit aller 40 fois plus vite qu'un avion à réaction. Si elle allait moins vite, la gravité la ferait aussitôt retomber. Les fusées sont actionnées grâce à un combustible en fusion qui émet des gaz brûlants. Ces gaz s'échappent des moteurs et propulsent la fusée.

▶ Le satellite s'envole dans l'espace

▶ Chaque étage allume son moteur pour que la fusée prenne de plus en plus de vitesse et s'envole dans l'espace.

Troisième étage

▶ La fusée Ariane 5 peut lancer deux satellites en même temps.

Premier étage

Deuxième étage

Les propulseurs d'appoint se détachent

68 Une seule fusée n'est pas assez puissante pour lancer un satellite ou un vaisseau spatial. C'est pourquoi, elles ont toujours deux ou trois étages qui sont, en fait, plusieurs fusées empilées les unes sur les autres, chacune ayant son propre moteur. Lorsque le premier étage a consommé tout son carburant, il tombe et le second étage prend le relais. C'est le troisième étage qui s'envole dans l'espace.

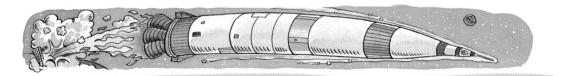

69 **La navette spatiale décolle comme une fusée.** Elle possède des moteurs de fusée qui consomment tout le carburant stocké dans d'immenses réservoirs. Mais elle a également besoin de deux propulseurs **(boosters)** pour acquérir la vitesse nécessaire. Les propulseurs retombent deux minutes après le décollage et le réservoir, quatre minutes plus tard.

UNE MINIFUSÉE

Tu auras besoin de :

un ballon

Gonfles un ballon et laisse le se dégonfler : il s'envole dans la pièce. L'air se précipite à l'extérieur et propulse le ballon dans la direction opposée. Une fusée qui décolle fonctionne un peu de la même façon.

70 **La navette atterrit sur Terre sur une longue piste, un peu comme un planeur géant.** Contrairement aux avions, elle ne fait appel à aucun moteur pour l'atterrissage. Elle arrive à une telle vitesse que le pilote doit actionner les freins et ouvrir un parachute.

◀ Les roues de la navette entrent en contact avec la piste d'atterrissage.

▲ La navette est propulsée dans l'espace par trois moteurs de fusées et deux énormes **boosters**.

La vie dans l'espace

71 **La vie dans l'espace est dangereuse.** Il y fait très chaud au soleil et très froid à l'ombre. On est exposé aux radiations dangereuses du Soleil. Des poussières, des roches et des débris d'autres planètes se déplacent à une telle vitesse qu'ils risquent de transpercer le vaisseau spatial.

Fauteuil-fusée (scooter de l'espace)

Caméra

Visière

Joystick

1. Les couches extérieures protègent contre les rayons du Soleil.

2. Un tissu est placé contre la peau.

3. Cette couche protège hermétiquement contre le vide de l'espace.

72 **La combinaison spatiale protège l'astronaute lorsqu'il sort dans l'espace.** Elle est très encombrante car elle est composée de plusieurs couches. Elle renferme l'air dont l'astronaute a besoin pour repirer et le protège contre les poussières et radiations dangereuses. Un circuit de refroidissement à eau élimine l'excédent de chaleur.

▲ Dans un vaisseau spatial, une combinaison de différentes épaisseurs assure la sécurité de l'astronaute.

REPAS SPATIAL

Tu auras besoin de :

Pâtes crues

C'est le genre de nourriture que mangent les astronautes. La plupart de leurs repas sont secs, ainsi les aliments sont moins lourds à transporter dans l'espace.

73 Dans l'espace, tous les objets flottent dans le vide car ils ne pèsent plus rien. Ils doivent donc être fixés pour ne pas s'envoler. Pour pouvoir travailler, les astronautes utilisent des cale-pieds. Ils s'attachent aussi dans leur sac de couchage la nuit.

Gant

▲ Les sacs de couchage sont attachés à un mur, ce qui donne l'impression que les astronautes dorment debout.

74 Les astronautes doivent emporter tout ce dont ils ont besoin. Dans l'espace, il n'y a ni air, ni eau, ni nourriture. Tout doit être embarqué dans le vaisseau spatial pour la durée du séjour.

Combinaison spatiale

Une maison si loin...

75 Un vaisseau spatial c'est un peu la maison des astronautes et des cosmonautes (astronautes russes). Il y a une cuisine pour préparer les repas et des cabines avec des sacs de couchage. Il y a aussi des toilettes, des lavabos et parfois des douches. Il y a une pièce de travail et une salle de contrôle qui permet de vérifier que tout fonctionne normalement.

Panneau solaire

76 La station spatiale internationale (ISS) sera la plus grande station jamais construite. Seize pays participent à son élaboration, parmi lesquels les États-Unis, la Russie, le Japon, le Canada, le Brésil et onze pays d'Europe. C'est un assemblage de différents modules qui s'imbriquent les uns dans les autres, comme pour un jeu de construction.

Port d'amarrage

INCROYABLE !

La station américaine Skylab, lancée en 1973, est retombée sur Terre en 1979. La plupart des débris ont échoué dans l'océan mais certains ont heurté l'Australie.

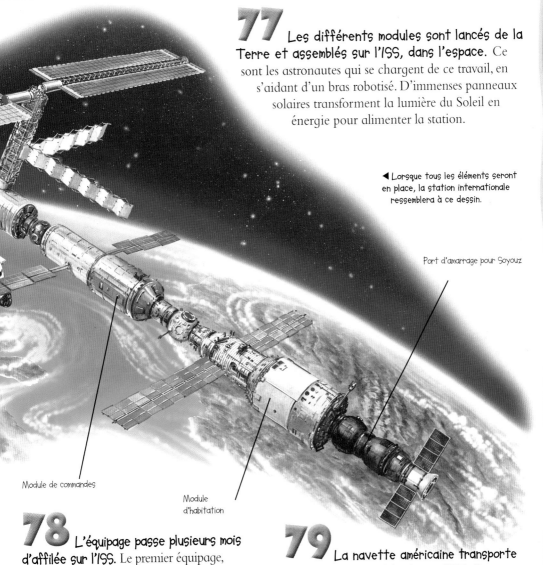

77 Les différents modules sont lancés de la Terre et assemblés sur l'ISS, dans l'espace. Ce sont les astronautes qui se chargent de ce travail, en s'aidant d'un bras robotisé. D'immenses panneaux solaires transforment la lumière du Soleil en énergie pour alimenter la station.

◄ Lorsque tous les éléments seront en place, la station internationale ressemblera à ce dessin.

Port d'amarrage pour Soyouz

Module de commandes

Module d'habitation

78 L'équipage passe plusieurs mois d'affilée sur l'ISS. Le premier équipage, composé de 3 personnes, est arrivé en novembre 2000 et a passé 4 mois sur la station. Lorsque celle-ci sera achevée, elle pourra héberger 7 astronautes qui disposeront de six modules de travail et d'habitation.

79 La navette américaine transporte astronautes et matériel vers l'ISS. La navette reste sur place pendant environ une semaine avant de rentrer sur Terre. La Russie dispose d'un Soyouz qui transporte les astronautes et d'un vaisseau Progress pour le transport du matériel.

Les robots d'exploration

80 Les robots de l'espace, aussi appelés sondes, ont exploré toutes les planètes, à l'exception de Pluton. Les sondes voyagent dans l'espace pour prendre des photos et des mesures. Elles envoient les informations collectées vers la Terre. Parfois, elles font le tour d'une planète et peuvent même y atterrir.

Source d'énergie

L'antenne radio envoie des messages sur Terre

Appareil photo

▲ Voyager 2 a pris des photos de plusieurs planètes en gros plan.

81 En 1976, deux vaisseaux Viking ont atterri sur Mars, à la recherche de signes de vie. Ils ont récolté un peu de poussière et effectué des tests mais n'ont trouvé aucune trace de vie. Leurs photos ne nous ont montré qu'un vaste désert de poussière.

▼ Les sondes Viking ont analysé des échantillons de poussière mais n'ont pas trouvé de signes de vie.

82 Deux sondes Voyager ont quitté la Terre en 1977 en direction des géantes gazeuses. Elles sont passées près de Jupiter, en 1979, et ont poursuivi leur route vers Saturne. Voyager 2 a poursuivi son voyage pour aller voir Uranus puis Neptune, en 1989. Elles ont envoyé des milliers de photographies des planètes.

▲ Après avoir envoyé sur Terre toutes les photos de Jupiter et de ses lunes, Galileo s'est enfoncé dans les nuages tourbillonnants de la planète.

83
Galileo a tourné autour de Jupiter pendant plus de 6 ans. La fusée est arrivée en 1995 et a envoyé un module plus petit dans les nuages de Jupiter. Galileo a envoyé sur Terre des images de la planète et de ses lunes les plus importantes. On a découvert que, sur deux d'entre elles, il y avait peut-être de l'eau sous une couche de glace plus épaisse encore que dans l'Arctique.

◀ Sojourner a passé trois mois sur Mars. Le petit robot mobile n'était pas plus gros qu'un four à micro-ondes.

QUIZ
1. Quand la sonde Voyager est-elle passée près de Jupiter ?
2. Quelle sonde a transmis des photos des nuages de Jupiter ?
3. Quelle sonde a cherché des traces de vie sur Mars ?
4. Quel est le nom du véhicule robot envoyé sur Mars ?

3. Viking 4. Sojourner
1. 1979 2. Galileo
Réponses :

84
Lors de la mission Pathfinder, un petit robot, appelé Sojourner, a atterri sur Mars en 1997. C'était un petit véhicule-robot à six roues qui fonctionnait un peu comme une voiture téléguidée. Il a analysé le sol et la roche pour déterminer leur composition et a exploré les paysages qui l'entouraient.

L'observation de la Terre

85 Des centaines de satellites sont placés en orbite autour de la Terre. Ils sont lancés par des fusées et peuvent naviguer dans l'espace pendant plus de dix ans.

86 Les satellites de communication transmettent les programmes télévisés et les messages téléphoniques dans le monde entier. D'immenses antennes captent les signaux satellites et les retransmettent à d'autres antennes sur Terre. C'est ce qui permet de parler à des gens qui se trouvent à l'autre bout du monde ou de regarder en direct les jeux Olympiques qui se déroulent dans des pays lointains.

▶ Les satellites météo observent les nuages et donnent l'alerte lorsqu'une tempête se prépare.

▼ Les satellites de communication peuvent transmettre les programmes sur votre poste de télévision par l'intermédiaire d'une antenne parabolique.

87 Les satellites météo nous aident à prévoir le temps. Ils observent la formation et le déplacement des nuages. Ils prennent des mesures de températures dans l'air et déterminent la vitesse du vent.

▶ Les satellites accomplissent tous des tâches différentes. Ils observent la Terre, l'espace ou font des relevés météorologiques.

88 D'autres satellites analysent le degré de pollution. Les taches de pétrole sur l'océan et les nuages de pollution qui stagnent au-dessus des villes sont visibles de l'espace. Les satellites peuvent aider les fermiers à voir si le grain pousse bien ou à déterminer l'avancée des invasions d'insectes. Ils peuvent également repérer les incendies de forêt et les icebergs dangereux pour les navires.

▲ Les télescopes en orbite permettent aux astronomes de voir beaucoup plus loin que les télescopes terrestres.

▼ Les images de la Terre prises par les satellites permettent d'établir des cartes très précises.

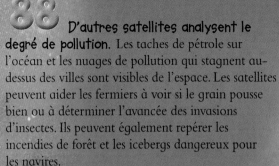

89 Les satellites en orbite permettent de voir de nouveaux objets célestes. Grâce à eux, les astronomes peuvent capter de nombreux types de radiations comme les rayons X, par exemple. C'est grâce à ces rayons que l'on peut déterminer l'emplacement d'un trou noir.

INCROYABLE !

Les satellites espions prennent des photographies des sites secrets du monde entier. Ils peuvent également décrypter des messages confidentiels provenant de navires ou d'avions militaires.

De la Terre à la Lune

90 **Les premiers hommes ont atterri sur la Lune en 1969.** Parmi les trois astronautes de la mission Apollo 1, Neil Armstrong a eu l'honneur d'y faire le premier pas. Depuis, seules 5 autres missions ont atterri sur la Lune.

91 **Pour ce grand voyage, les astronautes sont partis dans une immense fusée, Saturne 5.** C'était la plus grande fusée jamais construite. Les hommes furent lancés dans l'espace par les trois étages puis, le troisième seul, fournit l'effort supplémentaire pour les conduire sur la lune.

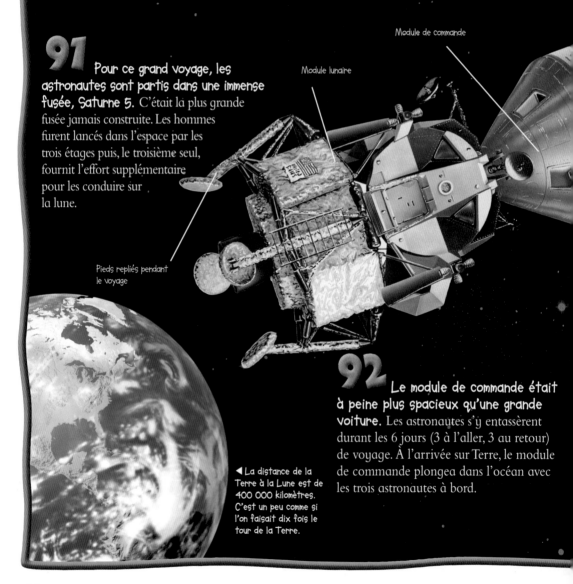

Module de commande

Module lunaire

Pieds repliés pendant le voyage

◀ La distance de la Terre à la Lune est de 400 000 kilomètres. C'est un peu comme si l'on faisait dix fois le tour de la Terre.

92 **Le module de commande était à peine plus spacieux qu'une grande voiture.** Les astronautes s'y entassèrent durant les 6 jours (3 à l'aller, 3 au retour) de voyage. À l'arrivée sur Terre, le module de commande plongea dans l'océan avec les trois astronautes à bord.

Propulseur

Module de service avec carburant et matériel

▲ Le module lunaire et le module de commande restèrent attachés pendant le voyage et ne se séparèrent que lors de l'atterrissage sur la Lune.

93 Deux des astronautes ont exploré la Lune dans le module lunaire. Après l'atterrissage, ils ont enfilé leur combinaison spatiale et sont sortis pour ramasser des fragments de roches. Après leur expédition, ils ont décollé avec ce même module pour rejoindre la fusée où le troisième astronaute les attendait dans le module de commande, en orbite autour de la Lune.

94 Le véhicule lunaire était une sorte de voiture tout-terrain. Il ressemblait à une Jeep et roulait très lentement. En courant très vite, tu aurais pu le dépasser !

95 Personne n'est retourné sur la Lune depuis le départ de la dernière mission Apollo, en 1972. Les astronautes ont exploré six sites différents et ont ramené assez de fragments de roches pour occuper les scientifiques pendant des années. Un jour, les hommes y retourneront peut-être pour construire des stations habitables.

INCROYABLE !

Alors qu'il faisait route vers la Lune, une explosion a endommagé le vaisseau Apollo 13, privant les astronautes de chaleur et de lumière.

Seuls au monde ?

96 Pour l'instant, nous n'avons trouvé aucun signe de vie en dehors de la Terre. Partout où l'on se trouve, de l'Antarctique glacé aux déserts les plus chauds en passant par les mers les plus profondes, on trouve des créatures vivantes. Certaines sont énormes, comme les baleines ou les éléphants, d'autres si minuscules qu'il est impossible de les voir à l'œil nu. Mais toutes ont besoin d'eau.

▲ Sur Terre, les animaux vivent dans toutes sortes d'habitats, comme l'eau, la mer, l'air, le désert, la jungle ou la banquise. Combien d'habitats vois-tu sur cette image ?

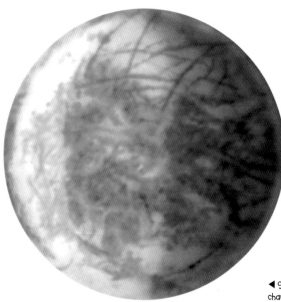

97 Il y a peut-être un océan souterrain sur Europe, l'une des lunes de Jupiter. Un peu plus petite que notre Lune, Europe est couverte de glace. Les astronomes estiment pourtant qu'il pourrait y avoir un océan sous la couche de glace. S'ils ne se trompent pas, d'étranges créatures vivent peut-être dans ce monde sous-marin.

◄ Sous la surface glacée d'Europa, il fait peut-être assez chaud pour que la glace se transforme en eau.

98 **Les astronomes ont découvert d'autres planètes, en orbite autour d'autres étoiles.** Mais pour l'instant, aucune ne ressemble à la Terre. Il s'agit de planètes géantes, comme Jupiter. Ils sont toujours à la recherche d'une petite planète rocheuse, ni trop chaude, ni trop froide, avec de l'eau, qui pourrait héberger des créatures vivantes.

▲ Personne ne sait vraiment à quoi ressemblent les autres planètes. Elles ont peut-être d'étranges lunes et de drôles d'anneaux. Tous les êtres qui pourraient y vivre nous paraîtraient très bizarres.

99 **Il y a des millions d'années, il devait y avoir des rivières et des mers sur Mars.** Les astronomes ont vu des lits de rivières asséchés et des falaises qui ressemblent à des rives océaniques. Ils pensent que Mars était peut-être une planète chaude et humide qui aurait pu abriter des créatures vivantes. À présent, c'est une planète froide et sèche dépourvue de signes de vie.

INCROYABLE !

Il nous faudrait des milliers d'années pour nous rendre sur la plus proche des étoiles avec nos vaisseaux spatiaux actuels.

100 **Les scientifiques ont envoyé des messages radio vers les étoiles.** Ils espèrent que des créatures vivantes les entendront et les comprendront. Il faut quand même savoir qu'il faudra 25 000 ans pour que nos messages parviennent jusqu'aux étoiles et encore 25 000 autres années pour que la réponse arrive sur Terre.

◄ Ce message pourrait faire comprendre aux créatures vivant sur des planètes lointaines que la planète Terre est habitée.

Index